별이 떨어지던 밤

별이 떨어지던 밤

발 행 | 2023년 12월 21일
저 자 | 백준오, 조승현
그 림 | 김효준
펴낸이 | 한건희
펴낸곳 | 주식회사 부크크
출판사등록 | 2014.07.15.(제2014-16호)
주 소 | 서울특별시 금천구 가산디지털1로 119 SK트윈타워 A동 305호
전 화 | 1670-8316
이메일 | info@bookk.co.kr

ISBN | 979-11-410-6158-6

www.bookk.co.kr

별이 떨어지던 밤

1부. 별이 떨어지던 밤

2부. 마법의 길, 모험의 시작

별이 떨어지던 밤

제1장 소원

2023년, 서울의 한 고등학교에서는 현이라는 학생이 있었다. 현이는 엄한 부모님 밑에서 자란 탓에 항상 공부에 열중할 수밖에 없었고, 그랬기에 항상 전교 1등을 놓치지 않았다. 하지만 현이는 이런 삶이 싫었다. 현이의 일상은 항상 반복 되었고 이런 삶은 현이가 원하던 삶이 아니었다.

"현아 일어나서 밥 먹어!"

이 말이 현이의 하루의 시작이었다. 그 후, 학교에 가는 것은 당연한 일이었고 학교가 마친 후엔 학원에서 밤늦게까지 있었다. 집에 오면 항상 12시 30분이

넘어가는 시간이었고 새벽 6시에 일어나 다시 학교에 갈 준비를 하였다. 이런 삶이 지겹다 못해 부질없다고 생각될 것 같은 어느 날, 현이는 항상 지나가던 길을 가고 있었다. 그러다 한 사람이 말하는 것을 들었다.

"내일 자정에 별이 떨어지는데 놓은 곳에서 소원을 빌면 들어준대!"

"그게 말이 되겠어?"

옆에 있던 사람이 말했다. 현이도 마찬가지였다. 그렇지만 현이는 생각했다.

'속는 셈 치고 한번 해볼까? 그런데 집에 도착하면 아무리 달려도 12시 10분인데...'

그 순간 한 생각이 현이의 머리를 스쳐 지나갔다. 현이는 엄한 부모님 때문에 겁이 났다. 하지만 현이는 학교, 학원, 엄마, 이 생활이 너무 고통스럽고 짜증이 났다. 그래서 현이는 자기 인생의 마지막 일탈이라고 생각하고 바로 실행에 옮길 생각을 했다.

그날 11시 55분 현이는 아파트 옥상으로 올라갔다. 빠르게 바가지를 준비해 물을 붓고 자정이 되기까지 기다렸다. 그리고 자정이 되는 순간 아무것도 보이지 않던 검은색 하늘에서 작은 빛 한 개가 아래로 떨어지고 있었다.

별이 떨어지는 것은 사실이었던 것이다! 이제 소원이 들어지는지 확인해 볼 시간이었다. 현이는 마음속으로 생각했다.

'제가 싫어하는 것들을 다 없애주세요!'

그 후, 현이는 집으로 돌아갔다.

"너 뭐하다가 이제 들어와!"

도어락이 열리는 소리가 들리자마자 엄마의 우렁찬 소리가 들려왔다. 나는 30분 동안 꾸중을 듣고 나서야 씻고 잘 수 있게 되었다.

'역시 소원 같은 건 이뤄지지 않는 거였구나...'

현이는 허무한 감정과 함께 잠이 들게 되었다.

제2장 친구들

그 다음 날, 현이는 기지개와 함께 일어났다. 현이가 방문을 연 순간부터 하루가 달라졌다는 걸 느꼈다. 매일 아침 방문을 연 순간부터 들리던 엄마의 밥 먹으라는 소리가 안 들렸기 때문이다. 현이는 당장 주방으로 달려갔지만 엄마가 없었다. 현이는 엄마가 급한 일로 일찍 나갔다는 생각 반과 진짜 소원이 이뤄졌다는 생각 반으로 학교로 갔다. 현이가 버스를 타고 학교에 가니 왠지 모르게 학교는 있었다. 현이가 반에 들어가는 순간 보이던 몇 명의 애들이 없어진 것을 느꼈다. 하나같이 모두 현이가 싫어하는 아이들이었다.

"너 조승현 어디 갔는지 알아?"

"조승현? 걔가 누군데?"

그 친구들은 정말 모르는 눈치였다. 이로써 현이는 소원이 이루어졌다는 것을 조금씩 체감해갔다. 그 후 현이는 확신을 가지기 위해 한 가지 더 물어봤다.

"우리 시험 점수 나왔어?"

현이는 물론이고 아마 모든 아이들이 싫어할 존재인 시험에 대해 물어보았다. 그리고 친구의 답은 이러했다.

"시험이 뭔데? 도대체 무슨 말을 하는 거야."

이로써 현이는 확신을 가졌다. 그리고 수업이 끝난 후 현이는 당장 학원으로 달려갔다. 현이는 버스를 타고 가는 동안 생각에 잠겼다. 왜냐면 휴대폰에는 학원 선생님의 전화번호가 저장 되어 있었기 때문이다. 그리고 버스에서 내린 순간 현이는 놀라움을 금치 못했다. 그 크고 크던 학원이 난생 처음 보는 학원으로 바뀌었기 때문이다. 현이는 기쁨을 금치 못했다. 그래서 현이는 간만에 일상에서 하지 못했던 것을 해보았다.

"야! PC방 고?"

현이는 당장 친구에게 전화해서 물어보았다. 그러자

친구가 대답했다.

"어?! 너 원래 뭐 하는 거 있지 않았냐?"

친구도 내 학원의 존재에 대해서 모르는 거 같았다. 아마 원래였다면 반의 모든 친구가 내 힘들고 반복적인 일상에 대해 알고 있을 것이기 때문이다.

"몰라! 그냥 가!!"

현이는 한껏 들뜬 마음으로 소리쳤다. 현이는 어딘지도 모르는 PC방을 지도에 검색하고 바로 뛰어갔다.

"야! 여기! 여기이!!"

pc방에 들어서자 친구의 우렁찬 소리가 들려왔다. 그리고 이상한 담배 냄새가 현이의 코를 찔러왔다. 시끌벅적한 게임 소리와 음식이 만들어지는 소리, 사람들이 하는 욕설들, 현이는 모든 게 새로웠다. 현이는 컴퓨터를 키고 회원가입을 하기 시작했다. 게임을 해보자 현이는 천국에 온 것 같은 기분이었다.

"야! 이거 왜 이렇게 재밌냐?"

현이가 말했다. 그러자 친구가 말했다.

"아니 너 이 정도면 재능 아니야? 뭘 이렇게 다 잘해?"

이 말을 듣고 현이는 아무 반응도 안했지만 내심 뿌

듯했다. 4시간 후, 현이와 친구들은 PC방에서 나왔다.
현이가 물었다
"벌써 8시야? 어디 갈래?"
"너 안가도 되는 거야?"
"몰라 오늘은 그냥 막 놀아! 볼링장 고?"
현이는 대답은 받지도 않고 볼링장 쪽으로 뛰어갔다.
"와.. 여기가 볼링장이구나.."
현이는 볼링장을 보고 되게 신기해했다. 그 후, 현이는 바로 볼링을 쳐보았다.
"야 너 체육 쪽엔 재능이 없구나? 어떻게 5개 이상을 못치냐?"
"음 사람이 다 잘할 순 없는 거지."
볼링을 다 치고 현이는 새벽 1시에 집으로 출발했다. 현이는 왠지 모를 죄책감과 짜릿함을 가지고 집으로 돌아갔다. 집에 도착하자 현이는 습관적으로 한 문장이 입에서 튀어나왔다.
"엄마... 다녀왔어요."
정적이 지속됐다. 현이는 거실의 소파로 뛰쳐 갔다. 항상 다녀오면 소파에 누워서 TV를 보던 엄마의 모습이 안 보이는 순간 현이는 엄마가 사라졌다는 걸 깨달았다. 현이는 자신의 삶을 방해하는 사람이 없어졌다 생각했고 기뻐했다.

제3장 자유

하지만 현이는 엄마가 없던 삶은 생각해본 적이 없었다. 왜냐면 자신이 능동적으로 한 일과보다 항상 엄마로 인해 수동적으로 한 일과가 훨씬 많았기 때문이다. 현이는 앞길이 막막했다. 저녁을 해결해야 했다. 현이는 수납장에 있는 라면 한 봉지를 꺼내 설명서에 적힌 대로 만들어 보았다. 처음치곤 꽤 잘 만든 거 같았다. 그 다음은 집안일을 해결해야했다. 현이는 빨래를 하던 중, 엄마의 옷을 발견하였다. 아직까진 즐거운 마음이었다. 하던 빨래를 끝내고 잠시 쉬기 위해 거실 바닥에 누웠다. 그런데 너무 힘들게 논 탓일까 하지 않던 일을 너무 많이 해서 그럴까, 몇 초 뒤, 현이는 지쳐 쓰러지듯이 잠에 들었다.

다음 날, 현이는 일어나자마자 씻고 나갈 준비를 했다.

"얼마 만에 주말에 놀러 나가보냐"

현이는 들뜬 마음과 함께 집을 나섰다. 바로 지하철역으로 달려가서 친구들과 만났다.

"야! 너 왜 이렇게 늦어?"

"미안 미안. 어제 너무 늦게 잤나 봐."일단 가자!"

현이와 친구들은 지하철을 타고 시내로 갔다.

먼저 현이와 친구들은 먼저 노래방으로 갔다.

"야 얼마나 할래?"

"1시간 반 정도면 충분하지 않을까"

아이들은 방에 들어가서 노래를 불렀다. 아이들이 들어간 노래방은 왠지 모르게 다른 방보다 더욱 시끄럽게 들렸다.

"이 집 서비스 좋네 ㅋㅋ"

"여기 다음에 또 오자"

그리고 현이와 친구들은 백화점으로 갔다. 현이는 백화점의 크기를 보고 1차로 놀랐다.

"매장이 몇 개야 여기?"

"백화점 처음 와보냐? 뭐 이렇게 촌티를 내고 그래 ㅋㅋ"

"난 항상 엄마가 사서 갖다 줬단 말이야.."

그리고 매장으로 들어가자 현이는 2차로 놀랐다.

"0이 몇 개야 이게? 한 개, 두 개, 세 개... 여섯 개? 옷이 뭐가 이렇게 비싸?"

"원래 백화점은 다 비싸"

현이는 가격에 놀라고 한 번도 본 적 없는 브랜드의 매장에서 2만 원짜리 모자 한 개를 살 뿐이었다. 그 다음 그들의 행선지는 방탈출 카페였다.

"무슨 난이도로 하시겠어요? 5단계까지 있습니다." 매장 직원이 물었다.

"야 똑똑한 놈이 있는데 적어도 4단계 정도는 해줘야 하는 거 아니냐? 저희 4단계 할게요." 친구가 말하였다.

"4단계면 호러 방탈출인데 괜찮으시겠습니까? 갑툭튀가 굉장히 많을 거 에요."

직원이 경고했다.

"얘들아 나 무서운 거 진짜 못해..." 현이가 말했다.

"괜찮아 별로 안 무서울 거야."

두려움을 뒤로 한 채 아이들은 방탈출 방에 들어갔다. 들어가자마자 차갑고 으스스한 공기가 그들을 덮쳤다. 현이는 두려움이 몰려오기 시작했다.

"야 이거 너무 무서운데...?"

"넌 무슨 이런 게 무섭냐?"

이 대화가 끝난 후 조금씩 아이들은 앞으로 나가기 시작했다. 아이들이 비명을 지른 것은 조금 앞으로 전진 한 후 였다.

'퍽'

"으아아아아!"

아이들이 비명을 질렀다.

현이가 앞을 자세히 보자 친구 한명이 갑자기 튀어나온 인형에 머리를 맞고 넘어진 거 같았다.

"ㅋㅋㅋㅋㅋㅋㅋㅋㅋ 뭐하냐?"

아이들이 함께 웃었다. 이로 인해 공포감이 조금은 덜어진 거 같았다. 몇 차례의 난관을 거친 후 드디어 마지막 관문에 도착했다. 하지만 마지막 난관은 현이가 풀기 너무 쉬운 문제였다. 그런데 문제를 풀자마자 긴 길과 함께 귀신 분장을 한 직원이 엄청나게 빠른 속도로 달려오기 시작했다. 아이들은 놀라 비명과 함께 달리기 시작했다.

"으아아 저게 뭔데 !!"

모두가 소리쳤다.

"야 현 !! 빨리 달려 !"

친구 중 한명이 크게 소리 쳤다. 현이는 150m도 안 되는 거리를 숨을 헐떡이며 달렸다. 마지막에 후드티의 모자가 잡혔지만 다행히 밖으로 나올 수 있었다.

"헉헉... 다신 이런 거 하지 말자..."

"나도 동감하는 부분이야"

"야 너무 힘든데 밥이나 먹으러 가자"

아이들은 바로 맛집을 검색한 후 갔다.

도착하자마자 배가 고팠던 친구들이 자리도 잡지 않은 채로 외쳤다.

"여기 가장 맛있는 걸로 5인분 주세요 !"

크림파스타가 나왔다. 음식이 나오자 친구들이 허겁지겁 먹었다.

"여기 콜라도 좀 주세요."

그리고 말했다.

"여기 맛있다. 배고파서 뭐든 맛있는 건가?"

"맛있네. 다음에 또 오자."

밥을 먹은 후 아이들은 집으로 돌아갔다. 현이는 친구들과 헤어진 후 버스를 타러 버스정류장으로 갔다. 버스를 타려고 하는 순간 익숙한 떡집이 보였다. 현이가 예전에 엄마와 정말 많이 갔던 단골 떡집이었다. 그러더니 갑자기 엄마 생각이 나며 눈물이 조금 흘렀다. 그래서 현이는 그리움에 타려고 했던 버스에서 뛰쳐나와 떡집으로 달렸다. 현이가 들어가자마자 떡집의 아주머니께서 반갑게 맞아주셨다.

"어머 현아 ! 혼자서 여긴 무슨 일이야?"

"아... 안녕하세요 아주머니."

살갑게 맞아주시는 아주머니의 인사와 옛날의 기억 때문에 현이는 조금의 눈물과 함께 훌쩍 거렸다. 다행히 아주머니가 눈치 채진 못하신 거 같았다.

"그냥 옛날 생각나서 한번 들렸어요."

"그래? 그러면 이 떡 조금 들고 가렴."

옛날에 엄마랑 많이 사가던 떡이었다.

"감사해요. 다음에 또 들릴게요."

현이는 더 있다간 울음을 못 멈출 것 같아 뛰쳐나왔다.

현이는 버스를 타고 집으로 돌아왔다. 그리고 집에 도착하자마자 옷도 갈아입지 않은 채로 거실 바닥에서 잠에 들었다.

제4장 재회

'엄마가 없어진 삶은 너에게 어떻니.'

현이는 깜짝 놀라 일어났다.

"깜짝이야... 꿈이었구나."

그리고 꿈속에서 그 말을 들은 후 고민에 빠지기 시작했다.

'이게 더 나아진 삶인가? 하지만 엄마가 계실 때는 자유가 없었어.'

현이는 학교로 가면서도 이 생각에 빠졌다.

"자 오늘도 수업하자! 189쪽 펴 ~"

담임선생님이 말씀하셨다. 현이는 수업을 하면서도

깊은 생각에 빠졌다. 그러더니 선생님이 물었다.

"현아 너 어디 아프니? 왜 이렇게 집중을 못해?"

"아니에요. 괜찮아요."

현이는 수업 중 집중을 못한다고 선생님께 꾸중을 듣기도 했지만 계속 생각이 났다. 그리고 수업이 끝나고 현이는 학교 교문을 나가고 있었다. 교문 앞에선 친구들이 엄마나 아빠의 차를 타고 하교하는 모습을 볼 수 있었다. 현이는 이 모습을 보고 확신을 가졌다. 자신에게 아무리 자유를 억압한다고 해도 자신을 데려다 주고 챙겨주는 엄마를 그리워하고 있다는 것이다. 그리고 오히려 한 번도 엄마에게서 자유를 요구하려고 하지 않았던 자신을 원망했다.

그 때, 뒤에서 우렁찬 소리가 들려왔다.

"야 현 ! 너 오늘도 놀러 갈꺼냐?"

"아니... 오늘은 그냥 집에서 좀 쉬려고. 생각할 것도 있고 좀 힘들어."

"오키 알겠어."

현이는 버스를 탔다. 그리고 지나가던 길에 예전 학원이 있던 건물을 발견했다. 원래 가야했던 곳을 가지 않게 되니 느낌이 어색했다. 그리고 가야할 곳을 가지 않는 것 같아 왠지 모를 죄책감도 같이 느껴졌다. 집을 도착하니 어제 그대로 자버려 치우지 않은 쓰레기들이 널브러져 있었고 먼지도 많이 보였다. 그래서 현이는 집을 치우기 시작했다. 청소기부터 물걸레, 쓰레기 버리기, 설거지까지 끝내고 나서야 소파에 누워서 쉴 수 있었다.

'엄마는 어떻게 이걸 맨날 했던 거지? 하루만 해도 힘들어 죽을 거 같은데 말이야'

현이가 소파에 쓰러지듯이 누워 생각했다. 조금 쉬고 나자 바로 저녁 먹을 준비를 해야 했다.

'그냥 대충 라면이나 끓여야지.'

현이는 또 쓰레기를 치워야할 것 같아 잘 먹지 않아 엄마가 건강에 안 좋아 못 먹게 하는 라면을 먹게 됐다.

'생각해보니까 엄마는 이런 것도 못하게 하네... 그래도 보고 싶다.'

밥을 먹고 현이는 잠을 청했다.

'엄마가 보고 싶구나. 내가 만나게 해줄까?'

현이는 오늘도 깜짝 놀라며 잠에서 깨어났다.

'어제부터 계속 왜 이러지? 당연히 엄만데 보고싶

지...'

현이가 시계를 확인하자 원래 일어나는 시간보다 15분이나 늦게 일어났다는 것을 알게 되었다. 그리고 현이는 빠르게 씻은 후 옷을 갈아입고 집에서 뛰쳐나왔다. 그런데 뛰어가다가 현이의 눈에 건너편 도로에 있는 한 차가 보였다.

"785이 2748...? 우리 엄마 차 번호잖아?"

현이는 지각 같은 거는 생각 안하고 바로 차로 뛰어갔다. 차의 외형과 번호판 내부를 봤을때 엄마의 차라는 것을 확신할 수 있었다.

'여기 주차 되어 있는 거면 여기 햄버거 매장에 있는 건가?'

현이가 햄버거 매장으로 들어가는 순간 키오스크 앞에서 익숙한 뒷모습을 볼 수 있었고 현이는 엄마라고 확신할 수 있었다. 현이가 조심스레 다가가는 순간 그 사람이 뒤를 돌았다. 엄마였다. 현이가 소리쳤다.

"엄마 ! 얼마나 보고 싶었는데..."

현이가 서글프게 울기 시작했다.

"내가 미안해..."

그러자 엄마가 말했다.

"누...누구신데 저한테 엄마라고 부르세요?"

엄마랑 현이 모두가 당황했다.

"엄마 딸 현이야 못 알아보겠어?"

"몰라요..."

엄마는 당황하면서 방금 나온 햄버거를 가지고 매장에서 나갔다. 현이는 그제야 학교 생각이 났다. 현이도 매장에서 뛰쳐나와 학교로 달렸다. 현이가 학교에 갔을 땐 선생님이 기다리고 계셨다.

"야 현 ! 너 뭐하다 이제와? 어제부터 왜 그러는 거야?"

"아 제가 그... 배가 조금 아파서요."

현이는 거짓말까지 해가며 둘러대기 바빴다.

"너 3분만 늦었어도 무단결석 이였어. 아무리 그래도 벌금 2000원은 내야해."

현이는 떨리는 손으로 지갑에서 2000원을 꺼내 바구니에 넣었다. 엄마가 사라진 뒤로는 돈을 얻을 수도 없어 금전적 상황도 여의치 않았다. 엄마의 빈자리가 여기서 까지 크게 느껴졌다.

현이가 꾸중을 듣고 자리에 앉았다. 그리고 현이는 생각했다.

‘엄마가 살아 있다는 건 알았지만 나를 기억하지 못하는 거 같은데 어떡하지...’

그때 현이의 머리에서 한 말이 떠올랐다.

‘엄마가 보고 싶구나. 내가 만나게 해줄까?’

‘설마 이 말을 한 누군가가 이루어 준건가?’

현이는 한 줄기의 빛을 본 느낌을 받았다. 현이는 학교가 끝난 후 버스를 타고 집으로 가고 있었다. 매일 보던 학원 상가와 4차선의 여러 차들이 보였지만 그중에 눈에 보이는 건 오늘 봤던 엄마의 차였다. 현이는 다음 정거장에서 바로 내려 엄마 차가 가던 곳으로 달려갔다. 그러더니 한 오피스텔 앞에서 차가 서 있는 것을 봤다. 그리고 엄마가 들어가는 것 까지 보았다. 엄마가 사는 집 같아 보였다. 현이도 바로 따라 들어갔다.

“저기요 ! 잠깐만요 !”

그러더니 엄마가 멈춰 섰다.

“오늘 봤던 그 분 아니세요?”

“네, 맞아요.”

“여긴 어떻게...”

“제가 어떻게든 원래대로 돌려놓을게요. 너무 보고

싶었어요."

현이는 이 말을 끝으로 밖으로 나왔다.

'이상하게 봤겠지? 하지만 어쩔 수 없는걸.'

현이는 다시 버스를 타고 집으로 갔다. 현이는 집에 도착하자 소파에 누워서 엄마를 다시 원래처럼 돌릴 방법을 생각했다.

'엄마한테 진실을 말해야 하나?'

현이는 이후에도 정말 많은 생각을 했다.

"아오... 머리 아파. 바람이나 쐬러 갈까."

현이는 이 말을 하고 집에서 나와 옥상으로 올라왔다. 옥상으로 연결된 문을 열자 시원한 바람이 현이의 몸 전체를 때렸다.

'휴 시원하다. 이제야 좀 살 거 같네.'

현이는 옥상에 있는 화단 근처를 돌아다니기 시작했다. 꽃 냄새가 코를 찔렀다. 기분이 좋아질 것만 같은 냄새다. 현이가 돌아다니다 보니 구석에 있는 물체가 눈에 보였다.

'저건... 내가 소원을 빌 때 썼던 바가지잖아?'

현이는 갑자기 욱하는 마음에 바가지를 발로 찼다. 바가지가 현이가 손이 닿지 않는 계단 위까지 올라갔다. 그 순간, 현이의 머리에 아이디어가 스쳐 지나갔다.

'내가 전에 소원을 빌었던 것처럼 이번에도 소원을 빌면 되지 않을까?'

하지만 현이는 그때처럼 언제 별이 다시 떨어질지 모르고 있었다. 갈수록 현이의 머리만 아파져 가고 있었다.

'바람 쐬러 올라왔더니 머리만 더 아파졌네.'

현이는 아쉬운 마음을 뒤로하고 다시 집으로 돌아갔다. 집으로 돌아와 보니 벌써 저녁을 먹을 시간 이였다. 현이는 오늘도 저녁을 간단히 인스턴트식품으로 먹었다. 그리고 바로 소파에서 잠이 들었다. 엄마가 사라진 후 현이의 방탕한 삶이 계속 되었다.

제5장 별이 떨어지던 밤

'2023년 9월 16일 자정 OO아파트 옥상......'

현이는 이제 꿈에서 속삭임이 들려도 아무렇지 않게 일어났다.

"2023년 9월 16일이면... 이번 주 토요일이네? 우리 아파트 옥상은 왜 말한 거지?"

현이는 그 다음 생각은 할 시간도 없이 학교를 가기 위해 빠르게 씻고 집을 뛰쳐나갔다.

'오늘은 그래도 시간이 꽤 남게 나왔네. 요즘 조금만 달려도 왜 이렇게 힘들지?'

답은 간단했다. 엄마가 사라진 이후로 한 번도 아침

을 먹은 적이 없었기에 체력이 부족한건 거의 당연한 일이였다. 현이는 버스 정류장으로 가서 버스를 탔다. 학교에 도착해서 바로 자리에 털썩 앉았다. 그리고 오늘 들은 말을 다시 곱씹어보았다.

'그 말이 뜻하는 게 뭐였을까?'

현이가 학교를 마친 후 언제나 그랬듯이 버스를 타기 위해 버스정류장으로 걸어가던 길이였다. 그 때 저 멀리 큰 건물 위에 있던 전광판에서 뉴스가 송출되고 있었다.

"이...주 ...에 아주 ... 별이 ...어질 예...입니다."

너무 멀어 잘 들리진 않았지만 별이란 단어는 명확하게 그리고 아주 크게 들린 것 같았다. 현이는 소원을 빌 때가 생각나며 그 건물 쪽으로 달려갔다. 조금 뛰어가자 뉴스 앵커의 말이 점점 명확하게 들려왔다.

"이번 주 토요일 23시에 아주 큰 별이 떨어질 예정입니다. 지금까지 유래 없던 거대한 별이 떨어질 예정입니다."

꿈에서 들은 말과 시간도 날짜도 같았다. 현이는 조금씩 희망이 보이기 시작했다.

'드디어 우리 엄마를 다시 만날 수 있는 걸까...'

그리고 추측했다.

'혹시 꿈속에서의 그 말이 나에게 가야하는 길을 알려 주려는 게 아닐까?'

지금까지 들은 말을 생각해봤을 때는 맞는 거 같았다. 이제 현이가 할 수 있는 일은 꿈속에서 그것에게 엄마를 돌릴 방법을 찾는 것과 기다리는 것 밖에 없었다. 현이가 집으로 돌아왔을 때 집이 매우 엉망이란 걸 알아차렸다. 엄마한테 보여줄 모습이 이런 모습 일까봐, 그리고 자신이 바뀌지 않으면 엄마의 생각도 바뀌지 않을까하는 무서움에 현이는 정신을 차리고 집을 청소하기 시작했다. 거실 청소부터 시작해서 방 청소, 그리고 화장실 청소까지 꼼꼼히 다했다. 현이는 밤이 되어 잠에 들었다.

'그때와 똑같이 반복...'

현이는 잠에서 깼다. 이 말을 듣자마자 바로 알아차릴 수 있었다.

'그때 소원을 빌었을 때와 똑같이 하라는 거겠지?'

오늘은 학교가 재량휴업일인지라 현이는 내일을 대비해 아침부터 준비 할 수 있었다. 먼저 현이는 옥상으로 올라갔다. 올라가자마자 소원을 빌 때 썼던 바가지부터 찾기 시작했다.

'어디 갔지?'

현이는 과거의 기억을 떠올려 보았다.

"아, 맞다 ! 내가 계단 위로 올려버렸지."

현이는 바가지를 꺼내기 위해 점프를 뛰었지만 닿지 않았다. 그래서 계단 아래에 있는 사다리를 억지로 끌고 올라 와서 위로 올라갔다. 바람이 꽤 많이 불어서 무서웠지만 다행히 바가지를 가지고 내려올 수 있었다. 집으로 돌아가서 소원을 빌 때 바가지에 넣었던 생수도 준 내일을 위해 준비해 놓았다. 준비를 끝마친 후 할 게 없던 현이는 기분도 조금 풀 겸 밖으로 나갔다.

'꼬르륵'

밖으로 나가자마자 배에서 꼬르륵 소리가 났다. 그래서 추억도 회상할 겸 예전에 친구들과 갔던 음식집으로 갔다.

"여기 크림 파스타 하나랑 콜라 주세요 !"

현이는 그때 먹었던 메뉴 그대로 주문했다.

'역시 그 때 맛 그대로네.'

현이는 크림도 보이지 않을 정도로 맛있게 먹었다.

그리고 현이는 여러 곳곳을 돌아다녔다. PC방에 가서 게임도 하고 오락실에 가서 인형 뽑기로 인형도 뽑았다. 현이는 엄마가 돌아왔을 때 혹시라도 다시 예전 삶이 반복될까봐 이 추억들을 기억하기 위해 이 상황을 사진으로 담았다. 그리고 현이는 집으로 돌아와 이 사진을 출력해서 액자에 담았다. 그리고 저번에 친구들과 찍었던 사진도 액자에 담았다. 이러고 나니 시계의 시침은 벌써 밤 9시를 가리키고 있었다.

'드디어 내일이네...'

현이는 떨리는 마음에 새벽까지 잠을 이루지 못했다.

'띠리리리링 ! 띠리리리링 !'

현이는 깜짝 놀라 일어났다. 왠지 모르겠지만 오늘은 꿈속의 그 소리 대신 우렁찬 알람소리가 현이을 반겼다. 시계를 보니 오후 4시를 가리키고 있었다. 현이는 자신이 이렇게 오래 잤다는 것에 놀랐다. 오랜만에 기분 좋게 개운하게 잔 거 같았다. 하지만 오늘 하루는 떨리게 시작할 수밖에 없었다. 엄마를 만날 수 있는 마지막 기회일 수도 있다는 생각에 떨리는 것은 당연한 일이였다. 시간은 기다리고 기다려 밤 11시

45분. 20분 뒷면 엄마를 만나는 기회가 생길지도 모르는 거였다. 현이는 떨리는 마음을 부여잡고 만반의 준비를 하고 옥상으로 올라갔다. 올라가니 시간은 11시 58분이였다. 빠르게 물을 바가지 안에 붓고 별이 떨어지길 기다렸다. 시간이 정말 느리게 가는 기분이었다. 기다리고 기다려 12시가 되었다. 저 깜깜한 하늘에서 조금씩 무언가 보이기 시작하더니 같이 빛이 점점 커지기 시작했다. 현이는 눈을 감고 바로 소원을 빌었다. 별이 시야에서 사라졌을 때 비로소 현이는 일어날 수 있었다. 현이는 바로 집으로 돌아갔다. 가자마자 현이는 마음속에 기대를 품으며 바로 잠에 들었다.

제6장 일상

"띠리리리링 ! 띠리리리링 !"

현이는 알람 소리와 함께 일어났다. 알람 소리 말고는 아무 소리도 들리지 않는 것 같던 순간.

"현아 빨리 밥 먹어 !"

익숙하지만 언제나 듣고 싶던 소리가 들려왔다. 모든 것이 돌아온 것 같았다. 내가 좋아하는 것, 그리고 싫어하는 것. 현이는 방문은 박차며 열고 뛰어갔다.

"엄마 !"

현이는 눈물을 흘리기 시작했다. 엄마는 당황한 기색을 보였다.

"현아 왜 울어?"

"엄마 보고 싶었어요..."

현이는 울면서도 자신이 지금까지 엄마에게 원했던 것을 하나씩 하나씩 말해가기 시작했다.

"그랬구나. 엄마는 네가 아무 말도 하지 않아서 몰랐어. 미안해."

그 이후로도 현이는 엄마와 여러 얘기를 나누었다. 그리고 현이는 엄마가 지금까지 풀고 싶었던 모든 문제를 풀고 나서 말했다.

"엄마 오늘은 저랑 놀러 갈래요?"

엄마는 말했다.

"좋지 !"

그리고 현이는 엄마와 집을 나섰다.

마법의 길 모험의 시작

한 작은 마을, 그러나 그 마을은 비밀로 가득한 곳이다. 마법사와 머글들이 함께 생활하면서 주인공은 마법과 모험이 어우러진 세계로 빠져든다고 한다.

제1장 부모님의 죽음과 시작

주인공인 '에드릭'은 이 마을에서 태어난 청년이다. 그는 어릴 적부터 마을 주변의 숲에서 이상한 꿈을 자주 꾸었다. 에드릭은 부모님께 마법을 쓰는 사람들이 꿈에 나온다고 말했다. 그의 부모님이 말했다.

"에드릭 너도 크면 다 알게 될 것이란다."

1년 전 에드릭의 부모님은 밤에 숲 속에서 비명소리가 계속 들려온다.

"으아아아악, 살려줘..!"

에드릭의 부모님은 지하에 숨겨놓은 지팡이를 찾는다.

"여보 지하에서 지팡이를 가져와 봐요."

"지팡이가 든 상자를 찾긴 했다만 너무 낡아서 도저히 쓰지를 못하겠네요."

"뾰로롱"

갑자기 상자 근처에서 어떤 소리가 났다. 어머니의 주 마법인 치유 마법으로 복구한 뒤에 숲 속으로 떠난다. 숲속이 어두워 아버지가 나무에 자신의 주 마법인 불 마법을 사용하고 횃불을 만든다. 숲 속을 걷다가 에드릭의 아버지는 뒤에서 풀이 움직이는 소리를 듣고 뒤를 돌아보는 순간 어떤 마법이 날라오는 것을 보았다.

에드릭의 아버지는 그 마법을 보고 화염을 날린다. 그 마법은 금지된 마법인 흑마법이었다. 아버지는 흑마법을 사용하는 자를 쫓아간다. 그자의 모습이 희미하게 보이기 시작한다. 화염 마법을 써서 제압하려고 하는 순간... 나무에 불이 붙어 산불이 난 것이다. 이 불은 점점 커져서 마을 전체가 다 타버릴 수 있다는 생각이 들었다.

마을 사람들과 에드릭이 위험하다는 것을 인지했다. 아버지는 희망이 없다며 좌절한다. 그러자 어머니가

온 힘을 다해 마을에 큰 보호막을 친 것이다. 힘이 다 빠진 에드릭의 부모는 숲속에서 실종되었다.

에드릭은 15살 부모님을 잃고 혼자 생활해 나갔다. 부모님이 돌아가시고 난 후에도 계속 이상한 마법의 꿈을 꾸었다.

어느 날, 그 꿈에 나오는 미스테리한 여성이 에드릭의 집에 찾아와 당신은 우리와 함께 해야한다며 어느 숲속으로 끌려간다. 그 미스테리한 여성을 따라 숲으로 향하는 모험을 결심한다. 그리고 그것이 모든 것을 바꾸게 되는 순간이었다.

에드릭은 숲을 걷던 도중, 평범한 숲이 갑자기 마법과 비밀로 가득한 세계로 변해감을 목격한다. 그곳에서 그는 다양한 마법 생물과 만나게 되며, 자신도 모르던 마법 능력을 발견하게 된다.

미스테리한 여성 엘라라는 에드릭에게 자신이 "마법의 문지기"라고 불리는 사람임을 밝히고, 에드릭이 이 세계에 특별한 역할을 맡게 된다는 사실을 알려준다. 에드릭은 엘라라의 불 마법을 사용하는 가르침을 받으면서 마법을 배우고 있다. 에드릭은 다른 사람들과는 달리 마법을 한 번 만에 잘 배워나가며 엄청난 재능을 보였다.

"저는 여기서 왜 불 마법을 배우고 있나요?"

엘라라가 말한다.

"당신은 곧 우리가 갈 도시를 지켜낼 용사예요."

에드릭은 자신이 마을을 구하는 용사라는 말을 듣고 이 세계의 위험한 모험에 도전하게 된다. 엘라라가 마법의 포탈을 열고 에드릭과 함께 마법 도시로 간다. 엘라라는 마법 도시에서 에드릭이 머물러야 할 숙소로 안내했다.

숙소에는 자신을 돌보아줄 "메디"라는 뚱뚱해보이는 마법사가 있었다. 엘라라는 메디한테 마법 도시를 설명해달라고 하였다. 메디는 에드릭에게 마법 도시의 규칙을 알려준다.

"마법 도시의 규칙은 간단해, 동료한테 피해가 가는 마법 쓰지 않기, 흑마법을 쓰지 않기, 최고의 얼음 마법사 '아멜리아' 님의 말 따르기."

"별거 없어. 그치만 이 규칙을 어긴다면 바로 공개 처형이야."

에드릭은 공개 처형이라는 말에 무서워졌다.

"당신은 무슨 마법을 쓰나요?"

에드릭이 물었다.

"나는 마법을 못 쓰지만 사람을 잘 설득하는 나만의 능력을 가졌어."

메디가 대답했다. 에드릭은 메디를 존경하는 눈빛으로 쳐다본다. 메디는 에드릭한테 이 숙소의 구조를 설명하며 다음 날에는 학교에 가서 면접을 봐야한다고 했다.

면접을 보기 전에 에드릭의 옷과 먹을 것 등을 사서 숙소로 갔다. 숙소에서 잠을 자고 다음 날 아침이 되었다. 에드릭은 메디와 함께 학교로 가서 면접을 보았다.

에드릭은 자신이 어떤 사람이고 어떤 환경에서 자랐고, 부모님이 안 계신다며 면접관들의 마음을 사로잡았다. 에드릭은 다음 날 바로 학교로 나오면 된다고 말씀하셨다. 메디와 에드릭은 신나서 하이파이브를 하였다. 메디와 에드릭이 집을 가는 도중 괴한을 보았다. 다른 사람의 마법 물건을 마법을 쓰며 달아나는 모습을 보고 에드릭은 따라가서 엘라라한테 배웠던 마법을 써서 다시 원래 주인에게 돌려주었다. 그 물건 주인은 고맙다며 에드릭에게 먹으면 몸이 회복되고 초인적인 힘을 발휘할 수 있는 사탕을 주었다. 그 물건 주인은 정말 죽을 것 같을 때만 사용하라고 하며 떠났다.

숙소로 가서 메디한테 이런 일이 있었다며 얘기하는데 메디는 오히려 화를 냈다.

"너가 위험할 뻔 했잖니. 앞으론 몸 좀 사려."

에드릭은 왜 혼이 나는지 이해를 할 수 없었다. 메디에게 이 사탕을 주며 당신이 필요할 때 쓰라며 웃으며 건넨다.

제2장 마법 학교

에드릭은 마법 학교를 갈 준비를 하고 버스를 탄다. 마법 학교를 가는 버스에서 멍 때리고 있었는데 갑자기 옆에서 삶은 계란을 주는 것이다. 옆을 보았더니 예쁘게 생긴 "카밀라"가 웃으면서 주었다. 에드릭은 약간 심쿵하는 마음이 들었다. 이때까지 느껴본 적 없는 마음이었다.

"너 마법 학교의 비밀 있는 거 알아?"

카밀라가 웃으면서 말한다.

"아니 나 마법 학교에 대해서 하나도 몰라."

에드릭이 대답한다. 카밀라가 놀라는 표정을 지으며

말한다.

“마법 학교 옥상에 손에 얻으면 죽지 않는다는 마법 물건이 있어.”

에드릭은 호기심을 갖고 카밀라에게 가져오자고 말한다. 그러나 카밀라는 반대한다.

“절대 안돼. 그 마법 물건에 손을 대었다간 우리 몸이 망가질 거야.”

그 마법 물건은 흑마법사들이 가장 가지고 싶어 하는 마법 물건 중 하나로 건드리면 몸이 썩는 마법이 걸려있다.

마침내 학교에 도착을 하고 반을 배정한다. 학교장 “프란치스코”가 마법 주문을 외우자 갑자기 학생들 망토에 문양이 새겨진다. 에드릭은 파란색 문양이 새겨졌다. 에드릭의 하나뿐인 친구 카밀라도 파란색으로 망토에 뒤덮여 있었다. 서로 같은 팀이 된 것을 좋아하는 도중 빨간색 문양이 새겨진 무리들이 우리한테 시비를 거는 것이다. 카밀라는 화가 치밀어 올라 “꺼져”라고 말을 하였다. 그러나 빨간색 팀은 카밀라를 보고 비웃으며 놀렸다. 에드릭은 도대체 왜 저러는 것인지 이해를 할 수 없었다.

저녁을 먹고 다들 숙소에 들어가서 생활해야 하는데 파란팀은 숙소에서 아무 말도 하지 않았다. 서로서로 어색해서 무슨 말을 해야할지 잘 모르는 것 같았다. 에드릭이 먼저 말을 건다.

"우리 서로 자기가 누군지 자기소개라도 할까...?"

다른 친구들은 좋다며 에드릭의 말에 찬성한다. 파란 팀에 있던 아이들 7명은 한명 한명씩 자기소개를 한다. 먼저 카밀라부터 자기소개를 한다.

"안녕. 나는 바람 마법을 쓰는 마법사인 카밀라야 잘 부탁해."

두 번째는 전기를 쓰는 친구, 투명인간이 될 수 있는 친구, 동물로 변할 수 있는 친구, 등등 여러 자신의 특별한 능력을 말하며 서로 친해졌다. 마지막으로 에드릭이 자기소개를 한다.

"안녕. 나는 불 마법을 쓰는 마법사인 에드릭이야."

아이들이 불 마법이라 하니 깜짝 놀라며 에드릭을 신기하게 본다. 아이들의 말에 의하면 불 마법을 쓰는 사람 중에 "리아브"라는 사람이 엄청난 일을 해내어 전설이라고 말한다. 에드릭은 리아브라는 말을 듣고 놀란다. 에드릭이 말한다.

“리아브는 우리 아버지인데 우리 아버지가 전설이셨다고?”

아이들은 처음에는 못 믿는 눈치였지만 불꽃을 만들어 내는 에드릭을 보고 에드릭의 말을 믿었다. 아이들의 말에 의하면 리아브는 혼자 흑마법 군단을 다 처리했다는 전설적인 사람이라고 말한다. 에드릭은 자신보다 아버지를 잘 아는 친구들을 보고 부모님께 미안해지는 감정이 든다.

그런데 흑마법 군단에서 빠져나온 사람의 말에 의하면 그 흑마법사의 대장인 말레키스가 살아있다고 말했다. 에드릭은 언제 올지 모르는 말레키스의 공격에 두려워했다.

1달 뒤, 에드릭은 마법 학교에서 불과 관련된 모든 마법을 사용할 수 있게 되었다. 그런데 마법을 쓰다 지팡이에서 갑자기 빛 마법이 나오는 것이다. 이것을 어떻게 했는지는 모르지만 다시는 이런 실수가 없어야 한다며 다시 불 마법을 연습하였다. 그날 밤 에드릭은 잘려고 하는데 갑자기 하늘에서 검정색으로 덮힌 원형 구름이 나타나며 거기서 말레키스가 나왔다.

흑마법사인 말레키스는 그의 군대를 이끌고 마을로

점점 더 다가오고 있다. 말레키스는 세계의 균형을 깨뜨리고 전 세계를 어둠으로 뒤덮고 이 마법 학교의 마법 물건을 차지하기 위한 계획을 꾸미고 있다. 에드릭과 그의 친구들은 그의 계획을 막기 위해 힘을 합쳐 전투를 할 준비를 한다.

말레키스는 학교를 향해 상상을 초월하는 크기의 구체를 날린다. 학교의 교장 프란치스코가 이것을 대비해 학교에 보호막을 미리 쳐놓은 것이다. 에드릭은 자신의 동료들과 함께 말레키스의 군단들을 처치하러 밖으로 나간다.

에드릭은 엄청난 솜씨로 군단들을 차례차례 정리해 간다. 이를 본 친구들은 에드릭을 도와준다. 카밀라는 바람을 이용해 날아다니며 공중에 있는 적을 처치해 간다. 그런데, 에드릭이 말레키스의 군단을 처리해 가던 중 적에 둘러싸여 있었다. 이를 공중에서 본 카밀라가 에드릭을 데리고 하늘로 날아간다. 하늘에서 에드릭은 불 마법을 쓰며 카밀라와 엄청난 전투 실력을 뽐낸다. 전투를 치르던 중 에드릭과 말레키스는 눈이 마주친다. 말레키스와 눈이 마주친 에드릭은 부모님의 기억이 생생하게 펼쳐지는 것을 보고, 에드릭은 분노가 끝까지 치밀어 올랐다. 에드릭은 바람 마법을 쓰는 카밀라의 도움 없이 혼자서 불을 엔진처럼 사용하여 날아다녔다. 에드릭은 말레키스한테 가서 자신의 온 힘을 다해 위력이 제일 강한 불덩이를 날렸다. 불덩이가 터지며 말레키스 군단이 다 없어져 버렸다.

그러나 말레키스는 아무런 타격이 없다는 듯 말한다.

"조금 더 성장하면 재밌어지겠군"

이 한마디를 날리고 어디론가 사라져 버렸다. 에드릭은 바닥에 떨어져 기절했다. 카밀라는 병실에서 쓰러져있는 에드릭을 보며 울고 있었다. 에드릭은 1주일 뒤에 눈을 떴다. 눈을 뜨자마자 카밀라는 나에게 안겼다.

"걱정했잖아!"

카밀라가 울먹이며 말했다. 카밀라는 에드릭에게서 떨어질 기미가 안 보였다. 에드릭이 말한다.

"난 괜찮은데 다른 친구들은?"

"네가 흑마법사 군단을 몰살시켜서 너 빼고는 다 괜찮아."

"우리가 싸우고 얼마나 지난 거야?"

"1주일 동안 너가 의식이 없어서 내가 계속 간호했어."

카밀라는 1주일 동안 에드릭 곁에서 계속 에드릭의 상태를 보고 있던 것이다. 에드릭은 이 모습을 보고 카밀라는 나를 굉장히 아끼는 좋은 친구라는 것을 알게 해주었다. 에드릭은 재활치료를 하며 점점 몸 상태가 좋아졌다. 마법 선생님이 물으신다.

"너 말레키스와 싸울 때 어떻게 날아간 거야" 에드릭이 대답한다.

"저도 잘 모르겠어요. 흥분 상태에서 갑자기 한거라..."

"불 마법을 쓰는 사람 중에 자기 스스로 날 수 있는 마법사는 너뿐이야. 에드릭."

"일단 그 마법을 기반으로 훈련할 거고, 훈련 강도는 훨씬 어려워 질거다."

에드릭은 선생님과 훈련을 받는다.

"한 번 날아보거라."

날려고 시도해 보지만 잘 안된다.

"선생님 잘 안 돼요."

"그때 감을 익혀보렴."

계속 실패하자 옆에서 지켜보던 빨간 문양의 망토를 쓰고 있는 친구들이 계속 비웃으며 조롱하는 것이다. 그 모습을 본 에드릭은 화가 나서 몸이 뜨거워졌다. 그때 몸에서 불이 나오면서 날기 시작했다. 에드릭은 몸의 온도가 올라가면 날아다닐 수 있다는 것을 깨달았다. 선생님은 에드릭과 에드릭의 같은 모임 친구들은 환호를 하며 축하해 주었다. 에드릭에게 시비를 건 빨간 팀 아이들에게 말한다.

"너네는 이런 거 못 하지?"

"나도 할 수 있거든."

빨간 팀 중 한 명인 '페드로'는 자신의 마법인 물 마법을 쓰며 점점 올라온다.

그런데 갑자기 물이 없어지면서 페드로는 추락한다. 추락하면서 머리를 크게 다친 페드로는 사망하게 된다. 에드릭은 자신의 원수이지만 그래도 친구였던 페드로를 자신이 죽였다고 생각하여 혼자만의 시간을 갖게 된다.

제3장 죽음의 숲

한동안 기숙사에서 나오지 않자 친구들이 에드릭의 방에 들어가 보았는데, 에드릭이 없어져 있는 것이다. 에드릭은 금지된 구역인 죽음의 숲에서 괴물과 생물들을 시도 때도 없이 마법을 써 죽이고 있었다. 에드릭의 친구들과 교장 선생님인 프란치스코가 같이 말한다.

"여기서 뭐 하고 있니?"

"저에게 화가 나서 화풀이 중이에요."

"여기 혼자 있으면 위험하단다. 여기는 무엇이 나올지 몰라 네가 상상하는 그 이상의 생명체가 나와 너를 위협할 수도 있단다."

"조금만 있다가 돌아갈게요. 절 혼자 있게 해주세요."

프란치스코는 에드릭의 친구들을 마법 학교에 데려다주고 프란치스코는 날아다니며 에드릭의 뒤를 봐주고 있었다. 그런데 갑자기 에드릭이 사라진 것이다. 프란치스코는 방금전까지 에드릭이 있었던 곳에 가서 확인해 보니 말레키스가 나타나 에드릭을 세뇌시키고 있는 것을 보았다.

프란치스코는 바로 세뇌를 푸는 마법을 날렸지만 말레키스가 이미 세뇌를 시켜 에드릭이 프란치스코의 마법을 불과 흑마법이 섞인 엄청 강한 마법으로 방어한다. 말레키스가 에드릭한테 속삭인다.

"프란치스코를 죽여."

에드릭은 바로 프란치스코에게 날아가 지팡이를 들이댄다. 프란치스코는 에드릭에게 정신차리라며 계속 신호를 보낸다. 에드릭은 그 신호가 들리지 않는지 계속 공격한다. 프란치스코는 마법 학교 최고의 마법사이지만 나이가 들어 에드릭의 속도에 따라갈 수 없었다. 에드릭이 프란치스코를 죽이려고 자신의 몸이 타고 있는지도 모른 체 프란치스코에게 날아간다.

그런데 갑자기 에드릭이 세뇌에 풀려 몸이 거의 다 타버린 상태로 쓰러져 있는 것이다. 프란치스코와 말레키스는 놀란다. 저 멀리서 마법학교 가기 전에 에드릭을 잘 챙겨주었던 메디가 손을 흔들며 빗자루를 타고 날아온다.

메디는 자신이 에드릭을 세뇌에서 풀어줬다고 말한다. 메디는 자신의 숨겨진 능력인 시간을 멈추는 능력이 있다고 한다. 시간을 멈추고 메디가 터치를 한 사람만 움직일 수 있는데, 에드릭을 터치하며 메디가 말했다.

“카밀라는 지금 너가 말레키스한테 붙잡혀있다는 말을 듣고 너를 걱정하고 있어, 빨리 카밀라에게 가서 안아주자.”

에드릭은 정신을 잃고 쓰러진다. 시간을 멈추는 마법을 풀고 에드릭은 거의 죽어간다. 에드릭을 보며 눈물을 흘리며 에드릭이 죽어가는 것을 보고있던 그 때, 에드릭이 자신에게 몸이 완전히 회복된다는 사탕을 준 것을 기억하며 재빨리 에드릭에게 사탕을 먹이게 된다.

갑자기 에드릭의 몸이 원래대로 돌아오며 에드릭은 신과 같은 능력을 가지게 된다. 말레키스는 이 모습을 보고 당황한다.

제4장 마지막 결투

에드릭이 자신을 구해줘서 감사 인사를 전한 뒤 빛의 속도로 말레키스에게 다가가 불덩이를 날린다. 말레키스는 빠른 스피드와 엄청난 공격력의 에드릭을 보고 재밌다며 빨리 자신을 죽일 힘으로 달려들라고 도발한다. 에드릭은 말레키스를 숲속으로 엄청 빠른 속도로 끌고 가서 엄청난 양의 용암을 내뿜는다.

말레키스는 귀엽다는 듯 손가락으로 용암을 치우고 에드릭을 공중에서 내려찍는다. 에드릭을 제압하고 마법 학교로 가서 말레키스가 가장 가지고 싶어 했던 마법 물건을 가져온다. 마법 물건을 들어올리자마자 말레키스의 왼손이 썩기 시작한다. 왼손이 썩어도 이 물건을 가지고 싶었던 이유는 그 마법 물체는 터지면서 세상에서 그 어떠한 고통보다 아픈 고통만 지속되는 아주 무서운 물건이었다.

에드릭은 그 말을 듣자마자 태양과 같은 소행성 정도 크기의 불덩이를 말레키스에게 던진다. 말레키스는 마법을 쓰려해도 왼손이 말을 안들어 마법이 안 써진다. 그 사실을 안 말레키스는 메디와 프란치스코가 있는 쪽으로 마법 물체를 던져 터지게 하였다. 말레키스는 불덩이를 맞아 형태를 알아볼 수 없을 정도로 죽어있었다.

말레키스는 메디와 프란치스코가 있는 곳으로 가서 편안한 자세로 두고 눈물을 글썽인다. 자신에게 가장 소중했던 인물들이 자신 앞에서 고통을 받고 있는 모습을 보니 눈물을 참을 수가 없었다. 눈물을 흘리니 메디와 프란치스코가 고통이 괜찮아진다고 말했다. 에드릭은 자신의 어머니인 치료 능력을 눈물로 치료할 수 있다는 것을 알았다. 돌아가신 어머니와 아버지께 감사하며 메디와 프란치스코를 끌어안는다. 마지막 결투가 끝나고 마법학교로 돌아가 카밀라와 소중한 시간을 보내고 마법학교 공식 커플이 되었다.

에드릭은 마법학교에서 최고의 흑마법사인 말레키스를 물리치고 사람들을 구하는 최고의 마법사로 역사에 남는다.